海は地球の
たからもの

2

海はどうして大事なの？

保坂直紀 著

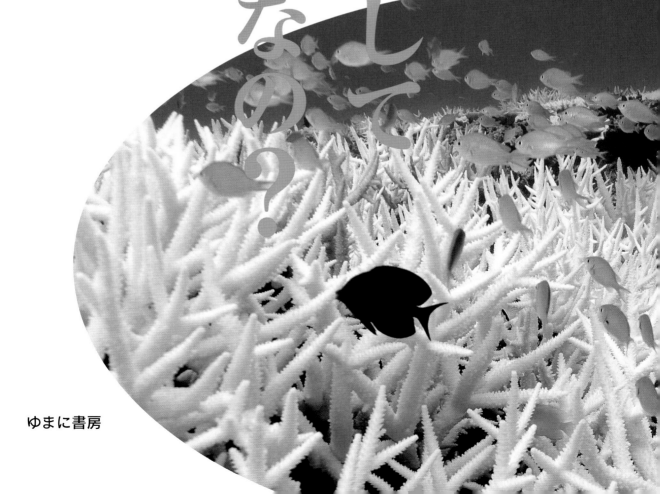

ゆまに書房

海は地球の
たからもの **2**

海はどうして大事なの？　もくじ

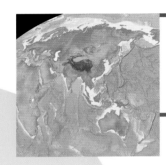

第1章
海は地球の熱を運ぶ

4

第2章
雨や雪のもとは海からやってくる

18

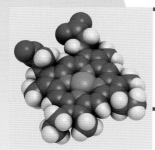

第3章
地球が身につけた「炭素」のリサイクル
30

海は地球の熱を運ぶ

地球は水の惑星

　地球は、水の惑星です。わたしたちが暮らす地球のように太陽のまわりを回っている「惑星」は8個ありますが、こんなに豊かな水にめぐまれているのは地球だけで

す。いま陸に住んでいる生き物たちも、その祖先は海で暮らしていたと考えられています。海がなければ、いまのわたしたちは、おそらくいなかったでしょう。海は地球にとって、とても大切なものなのです。

　地球の表面の71％は海におおわれてい

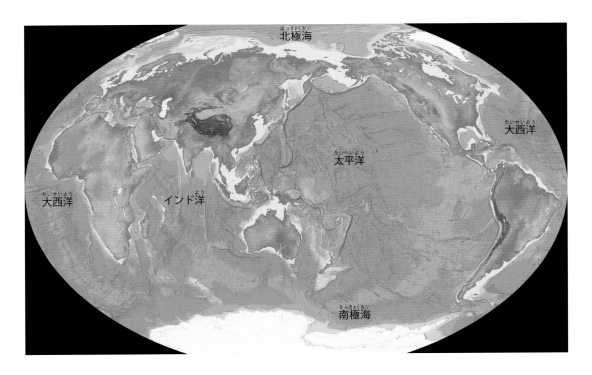

● 海と陸の表面積の割合 (小数点以下を四捨五入)

海 71%

陸 29%

太平洋31% 　大西洋15% 　インド洋13%

南極海 4%　北極海 3%　地中海 2%　その他 3%

● 海の断面図

わたしたちが知っている海底の姿はほんの少し。実は海底には、わたしたちが想像する以上にたくさんの山々が連なり、尾根をつくり、数千ヶ所に及ぶ山脈や海山があったり、急な斜面の海底のくぼみもあったりする。そして、海は浅いところも深いところもすべて生き物の生息する場所だ。

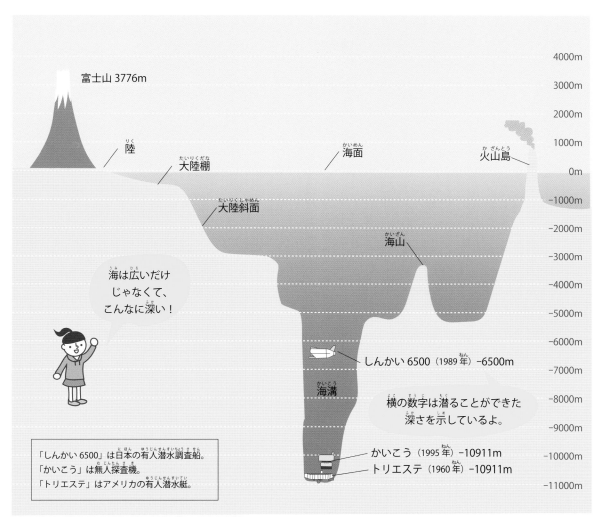

富士山 3776m
陸
大陸棚
海面
火山島
大陸斜面
海山
海は広いだけじゃなくて、こんなに深い！
しんかい 6500（1989 年）−6500m
海溝
横の数字は潜ることができた深さを示しているよ。
かいこう（1995 年）−10911m
トリエステ（1960 年）−10911m

「しんかい 6500」は日本の有人潜水船。
「かいこう」は無人探査機。
「トリエステ」はアメリカの有人潜水艇。

4000m
3000m
2000m
1000m
0m
−1000m
−2000m
−3000m
−4000m
−5000m
−6000m
−7000m
−8000m
−9000m
−10000m
−11000m

ます。そして海は、その広さもさることながら、とても深いのです。地球上でもっとも深い海は、日本から9000キロメートルあまり南にあるマリアナ海溝で、水深は約1万1000メートルもあります。地球でいちばん高い山は8848メートルのチョモランマ（エベレスト）ですから、海はそれよりはるかに深いのです。全世界の海の深さを平均すると約3700メートル。富士山の高さが3776メートルですから、それとほとんどおなじです。海の面積の半分は、水深が4000メートルより深い海です。

このように広くて深い海には、大量の水がたたえられています。その量は、地球上の水の97％にもなります。残りが、湖や川などにある陸の水です。地球の水のほとんど全部が海にあります。

水は地球をめぐる

　では、その海の水は、どこからくるので
しょうか。

　海の水は、空からやってきます。海の水
は蒸発して雲になり、雲からは雨や雪が
降ってきます。そのまま海に降ってくる雨
や雪もあれば、陸地に降って、川の水とし
て海にもどってくることもあります。

　地球の水は、こうして地球全体をぐるぐ
るとめぐっています。

山あいに降る雨。山間部では川霧
が出る。（新潟県胎内市）

水は長い旅をしてまた
海にもどるんだ。

霧多布の海霧（北海道厚岸郡）

森や林に降る雨。森や林に降った雨は葉や腐葉土の中にたくわえられ、そこで栄養分をもらい、ゆっくり地中へ、そして川へと流れる。（福島県二本松市）

海が地球をつくる

　いま、雨はもともと海の水だったとお話ししました。陸で降る雨も、遠い海から大気中の水蒸気として運ばれてきます。このように地球全体をめぐる大切なものは、水だけではありません。いろいろな大切なものがあっちへ運ばれ、こっちへ運ばれて、その結果、たくさんの生き物たちが暮らしていけるこんなすばらしい星になっています。

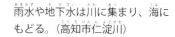

雨水や地下水は川に集まり、海にもどる。（高知市仁淀川）

『海は地球のたからもの』の第2巻では、この「いろいろな大切なもの」を三つお話しします。「熱」と「水」と「炭素」です。これらが地球をめぐることを、すこしむずかしい言葉ですが、「循環」といいます。三つの循環は、もし海がなければ、どれもうまく成り立ちません。海があるからこそ熱や水、炭素がうまく循環し、この地球ができあがっているのです。海がこのすばらしい地球をつくっているといってもよいのかもしれません。

海は熱を運ぶ

まず、熱の循環からお話ししていきましょう。いますこしお話しした水の循環は、第2章で取りあげます。

地球を暖めているもとは、太陽からの光です。この光のエネルギーが、陸を、海を、そして大気を暖めます。

地球は太陽のまわりを回っています。惑星が太陽のまわりを回ることを「公転」といいます。地球は1年かけて、太陽のまわ

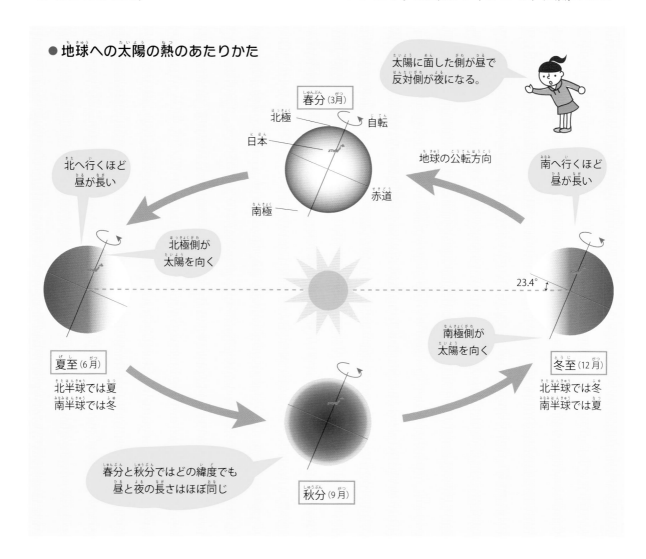

● 地球への太陽の熱のあたりかた

太陽に面した側が昼で反対側が夜になる。

春分（3月）
北極
日本
自転
地球の公転方向
赤道
南極

北へ行くほど昼が長い

南へ行くほど昼が長い

北極側が太陽を向く

23.4°

南極側が太陽を向く

夏至（6月）
北半球では夏
南半球では冬

冬至（12月）
北半球では冬
南半球では夏

春分と秋分ではどの緯度でも昼と夜の長さはほぼ同じ

秋分（9月）

りを1周します。また、地球自体もコマのように回転しています。これを「自転」といいます。地球は、ちょうどコマがくるくる回りながら立っているように自転しながら、太陽のまわりを公転します。そのため、太陽の光を、つねに真横から受けることになります。

いまのコマのたとえでは、立っているコマのいちばん上や下の部分が北極や南極になります。ということは、太陽の光がたくさんあたる真横の部分は赤道です。地球の赤道のあたりには、1年をとおして気温が高い熱帯地域が広がっています。そこが太

陽からいちばんたくさんの熱を受けるからです。一方、太陽の光があたりにくい北極や南極の近くは、寒い地域になります。

もし地球に海がなかったら、赤道付近はもっと暑く、北極や南極はもっと寒くなります。生き物たちが気持ちよく暮らせる地域は、いまよりずっと狭くなってしまうはずなのです。現在のようにちょうどよい気温で暮らしやすい地球ができあがっている秘密は、海にあります。海が赤道付近の熱を、北極や南極のほうに向けて運んでくれているのです。

●太陽から届く熱の緯度によるちがい

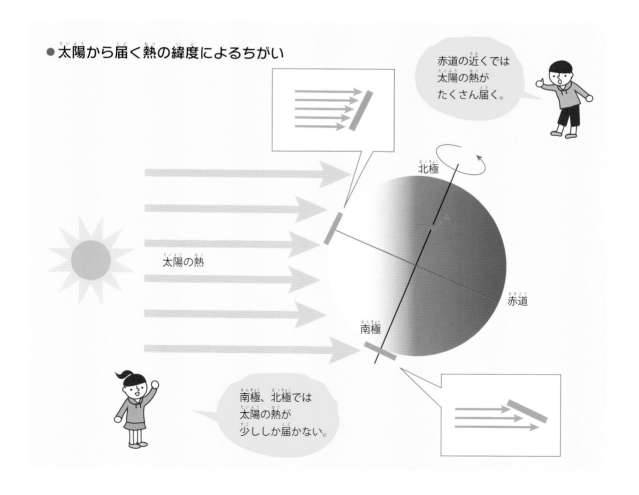

赤道の近くでは太陽の熱がたくさん届く。

太陽の熱

北極

赤道

南極

南極、北極では太陽の熱が少ししか届かない。

海流が地球の熱を運ぶ

海の水は動いています。動いているといっても、いまここでお話ししたいのは、海岸に打ち寄せる波の動きではありません。あの広い太平洋や大西洋、インド洋のそれぞれをぐるりと回るような、大規模な水の流れです。そのうちで、とくに流れが強くなっている部分を「海流」とよんでいます。

太平洋の北半球では、赤道から日本がある中緯度あたりまでを、ぐるりと時計まわりに1周するような巨大な海水の流れができています。日本列島の南の沖合を南西から北東に流れていく「黒潮」という海流は、この流れの一部です。黒潮は、世界でもっとも強い海流です。流れの速さは秒速2メートルくらいにもなります。川の流れのような速さですね。幅は100キロメートルくらい、深さは1000メートルくらいあります。こんな大きな水の流れは、陸上にはありません。世界でもっとも大きな川は海の中にあるといってもよいくらいです。

● **世界の主な海流**

赤道近くの低緯度の地域が受け取ったたくさんの熱を海流が高緯度の地域に運ぶ。

北半球の海では時計回りに、南半球の海では反時計回りに、流れているね。

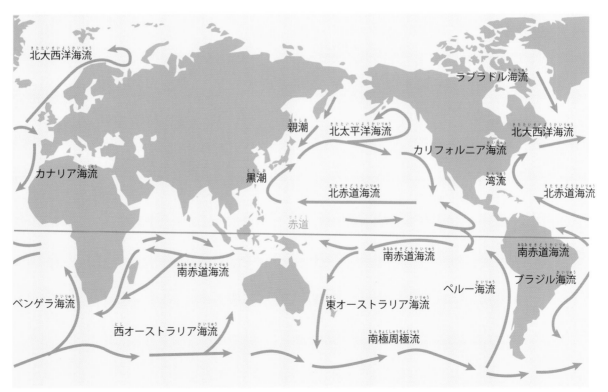

こうした海の流れが、熱を運ぶのです。赤道に近いところで温められた水が北や南に向かって流れ、その熱を赤道から離れたところに運んでいきます。そのぶんだけ、赤道近くの熱い部分の温度が下がり、もっと寒いはずの緯度の高い部分の温度が上がるわけです。

海流が熱を運んでいることがよくわかる実例があります。北大西洋では、ヨーロッパの西の沖を南から北に北大西洋海流が流れています。この海流が南から熱を運び、海の上の空気を暖めます。その暖まった空気が東向きにふく風でヨーロッパに運ばれてくるので、西ヨーロッパ、北ヨーロッパは、北極に近いわりには温暖な地域です。

海と大気の役割

赤道近くの熱を高緯度に向けて運ぶのは、じつは海流だけではありません。大気の流れも熱を運びます。

「大気」というのは、地球をとりまいている気体のことです。大気は何百キロメートルもの上空まで、だんだん薄まりながら広がっています。わたしたちがふつう空気といっているのは、地上付近の大気のことです。

地球の大気には、地面付近の低いところと上空の高いところ、そして北と南をかきまぜるような流れがあります。この流れが、赤道近くの熱を高緯度のほうに運んでいき

ます。海と大気は、おなじくらいの量の熱を運んでいます。太陽からの光をたくさん受けて暖まっている赤道のあたりから、その熱を海と大気が地球全体に運んでくれるわけです。

●大気による熱の輸送（北半球モデル）

赤道近くの低緯度の地域が受け取ったたくさんの熱を高緯度の地域へ運んでいく流れは、はじめは上の図のようにひとつの大きな流れと考えられていた。実際は、地球が「球」であり、太陽のまわりを自転しながら公転しているため、やや複雑だが規則的な3つの流れになっている。

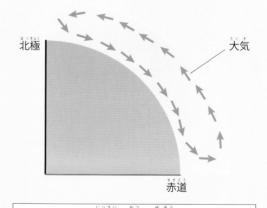

はじめに考えられた熱の輸送

北極　　　　　大気　　　赤道

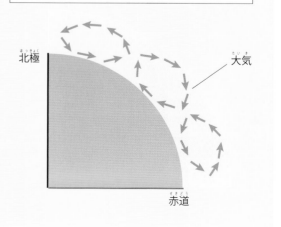

実際の熱の輸送

北極　　　　　大気　　　赤道

●大気の流れ

地球上の代表的な風は、右図のような名前でよばれるよ。

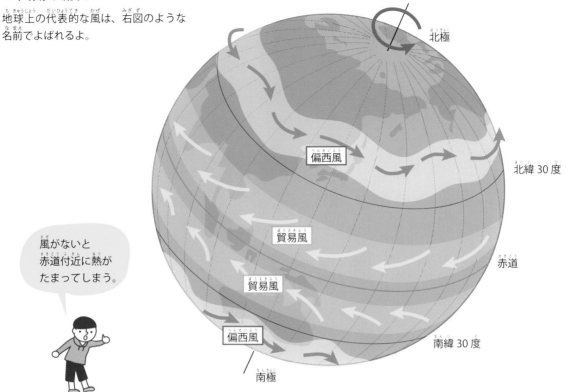

風がないと赤道付近に熱がたまってしまう。

北極
偏西風
北緯30度
貿易風
赤道
貿易風
偏西風
南緯30度
南極

水はたくさんの熱をためこむことができる

　水の特徴は、空気よりたくさんの熱をためこむことができることです。

　1グラムの「水」の温度を1度あげるだけの熱があれば、1グラムの「空気」の温度を4度あげることができます。これは、おなじ重さの水の温度をあげようとすれば、水は空気の4倍の熱が必要だということでもあります。水は空気より温まりにくいのですね。水は、おなじ重さの空気の4倍の熱をためこんでいるといってもよいでしょう。

　こんどは、すでに温まった水を考えてみましょう。この水を温めるには、たくさんの熱が必要だったはずです。この水をほうっておけば、しだいに冷めていきます。冷めるとき、水がもっていたたくさんの熱はまわりに出てきます。お湯をカップに入れて手で持つと、手が温かく感じますね。カップのお湯が、ためこんでいた熱を外に出して、それが手に移ったのです。

　いまお話ししたように、水は、少ない量でたくさんの熱をためることができます。「湯たんぽ」は、水のこの性質を使っています。まくらのような大きさの容器にお湯を入れ、冬の寒い夜にふとんの中

に持ちこむと、いつまでも熱を出しつづけてくれて温かいのです。水は、温まりにくいのと同時に、冷めにくい性質ももっています。

海は地球の湯たんぽ

海の水にも、この湯たんぽのような性質があります。海流が流れる速さは、さきほど黒潮でお話ししたように、速いところでも秒速数メートルくらいです。一方、大気の流れは、速いものになると秒速30メートルにも達します。こんなゆっくりの海流でも遠くまで冷めずに熱を運べるのは、水が「温まりにくく冷めにくい」という性質

をもっているからです。

もし海がなかったら、赤道近くの熱を大気がけんめいに北極や南極のほうに運ぼうとして、もっと激しい大気の流れになるのかもしれません。

地球が、わたしたち生き物にとってこんなに優しい気候でいてくれるのは、海のおかげなのです。

● 湯たんぽ

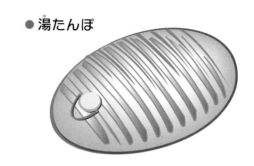

水は温まりにくく冷めにくい

人間の体の約60%は水です。わたしたちの体温が一定に保たれているのも、体の中に温まりにくく冷めにくい水がたくさん含まれているからです。

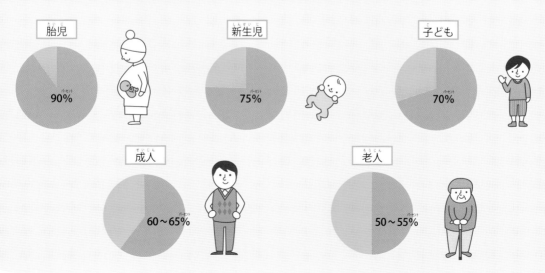

胎児 90%　新生児 75%　子ども 70%

成人 60〜65%　老人 50〜55%

数千年かけて地球をめぐる「深層海流」

　さきほど、海流のお話をしました。海流をつくるもとになるのは、海の上をふく風です。海の水は風に引きずられ、それに地球が丸くて自転している影響が加わって海流ができます。海流が流れる深さは、ふつうは海面から数百メートルといったところです。黒潮や親潮、北赤道海流、それに大西洋の米国東岸を流れる湾流など、よく知られた名前がついている海流は、このように海面近くの浅いところを流れています。

　じつは、海流には、もうひとつ別の種類があります。それが「深層海流」です。

　深層海流が生まれる原因は、海水の重さです。海水は、温度が低く、塩分が濃いほど重くなります。湾流や北大西洋海流によって南から運ばれてくる北大西洋の水は、もともと塩分が濃くて重いのですが、それが北の寒い海域で冷やされて、ますます重くなります。そのため、グリーンランドという大きな島に近づいたあたりでしずんでいきます。これが深層海流の出発点です。

● 深層海流の出発点
── 南から運ばれてきた海水がグリーンランドでしずみこむしくみ

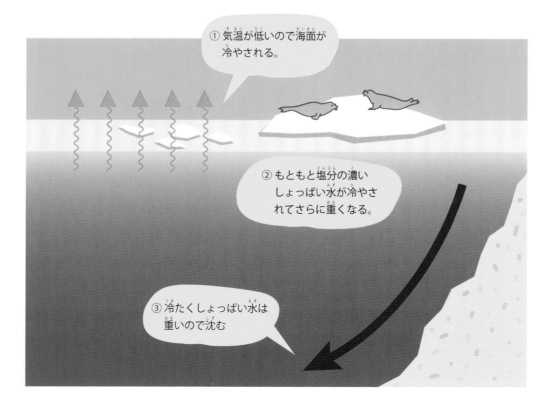

① 気温が低いので海面が冷やされる。

② もともと塩分の濃いしょっぱい水が冷やされてさらに重くなる。

③ 冷たくしょっぱい水は重いので沈む

● 地球全体をめぐる深層海流

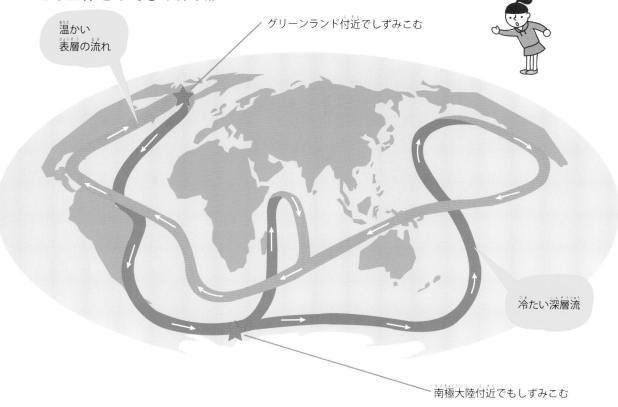

温かい
表層の流れ

グリーンランド付近でしずみこむ

冷たい深層流

南極大陸付近でもしずみこむ

しずみこんだ海水は、水深 4000 メートル以上もの深いところを、こんどは南に向きを変え、そのまま赤道をこえて、南極大陸の近くまでゆっくりと流れていきます。南極大陸のすぐ近くにも海水がしずみこむ場所があり、このふたつがいっしょになってインド洋や太平洋に入っていきます。ここで深層海流は、海の浅いところに上昇してきます。その表面の流れは南大西洋にもどり、北上して、またグリーンランドの近くに流れていきます。これで地球を 1 周しました。

深層海流は、熱も運ぶし栄養分も運ぶ

地球をぐるりとめぐるこの流れには「深層海流」という名前がついていますが、実際には、いまお話ししたように、深いところの流れと、それが上昇した浅いところの流れがセットになっています。こうして地球をひとめぐりするのに、1000 年以上もの長い時間がかかるとみられています。

この深層海流にも、海の浅いところを流れる海流とおなじように、地球全体の熱をならすはたらきがあります。ひとまわりするのに 1000 年以上もかかるようなゆっく

りした動きで、地球の気候をしっかり安定させてくれていると考えられています。

もし、この深層海流が止まってしまうとどうなるのか。コンピューターを使った計算によると、ヨーロッパなどの高緯度地域は、ずっと寒くなってしまいます。暖かいところから寒いところに運ばれる熱の量が減って、いまのような温暖な地球ではなくなるのです。

深層海流には、もうひとつ大切なはたら

海の中が青い理由

水には光を吸収する性質がある。だから、海は200メートルくらいの深さまで潜ると、ほとんどまっくらになってしまう。

太陽からくる光には、いろいろな色の成分がふくまれている。太陽の光をプリズムに通すと、いろいろな色に分かれて見える。「虹の七色」といわれる色だ。

水は、この七色のうち、赤や黄色の光を吸収しやすい。海面から海中に向かった光のうち赤や黄色の成分がまず水に吸収されてなくなり、吸収されにくい青い色の光が残る。水中カメラで撮った映像が青っぽいのは、そのためだ。

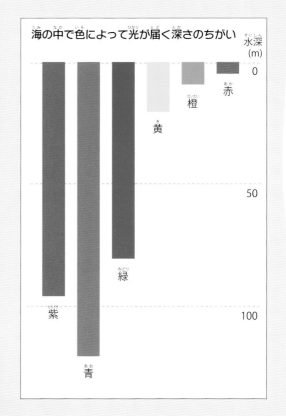

海の中で色によって光が届く深さのちがい

水深(m)

0

赤
橙
黄
緑
青
紫

50

100

青い光がいちばん深くまでとどくんだ。

きがあります。海は、熱帯などの水温の高い場所より、高緯度の水温の低い場所のほうが栄養分を多くふくんでいます。熱帯の海は、透明できれいですね。これは、栄養分があまりなくて、にごりが少ないからです。

深層海流がしずみこむ南極大陸の周辺は、プランクトンなどが育つ栄養分の多い海です。その水が深層海流となって、世界の海に栄養を運んでいると考えられています。

「海風」と「陸風」

海と陸では、海のほうが温まりにくく、冷めにくい。そのため、海岸に太陽が照りつける昼間は、海より陸のほうが温度が高くなっている。

このとき、陸の上の空気は地面の熱で強く暖められ、軽くなって上昇する。上昇して足りなくなった空気をおぎなうように、海から陸に向かって風が吹いてくる。これ

が「海風」だ。

逆に、夜になって気温が下がっても、海は冷めにくいので、海面の水温は高いままだ。こんどは海の上の空気が上昇して、陸から海に向かって「陸風」が吹く。

このように風向きが昼と夜とで逆になるのも、海が持っている「温まりにくく冷めにくい」という性質のためだ。

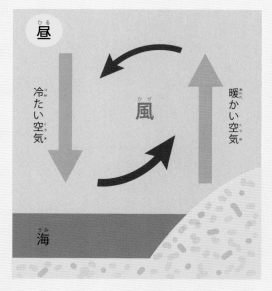

海風

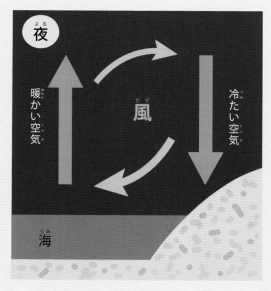

陸風

第2章

雨や雪のもとは海から
やってくる

冬の日本海側は
世界的に雪の多い地帯

　日本列島の日本海側は、世界的な豪雪地帯として有名です。新潟県・高田では377センチメートルもの雪が積もった記録が残っています。建物の1階部分はすっかり

うまってしまう深さです。このほかにも、福井の213センチメートル、富山の208センチメートル、北海道・留萌の204センチメートルなど、日本海側の地域では2メートル級の積雪が多く記録されています。

　日本海側をおそった記録的な豪雪は、昭和38年（1963年）の「サンパチ豪雪」、

豪雪地帯の新潟県十日町市小白倉に降り積もる雪

● 日本の豪雪地帯

気象庁の記録に残っている、過去にたくさん雪が降った場所を日本地図に表わしてみた。

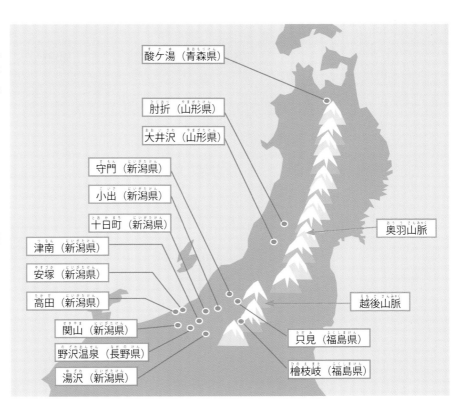

- 酸ケ湯（青森県）
- 肘折（山形県）
- 大井沢（山形県）
- 守門（新潟県）
- 小出（新潟県）
- 十日町（新潟県）
- 津南（新潟県）
- 安塚（新潟県）
- 高田（新潟県）
- 関山（新潟県）
- 野沢温泉（長野県）
- 湯沢（新潟県）
- 奥羽山脈
- 越後山脈
- 只見（福島県）
- 檜枝岐（福島県）

日本の豪雪地帯はみな日本海側なんだ。

昭和56年（1981年）の「ゴーロク豪雪」というように、その年の名前をつけて特別あつかいされています。それくらい、日本海側にはたくさんの雪が降るのです。

海があるから雪が降る

雪といえば寒いところを思いうかべるのがふつうです。ですが、日本海側の豪雪地帯の冬の気温は、かならずしも低いわけではありません。新潟県の高田で377センチメートルを記録したのは2月ですが、2月の高田は、1日の最低気温の平均はマイナス1度です。おなじように雪が多い富山はマイナス0.3度、福井はプラスの0.1度。一方で、それほどの大雪を記録していない宮城県・仙台はマイナス1.5度、長野県・軽井沢はマイナス8.5度ですから、気温でいえば、こちらのほうが低いわけです。

つまり、寒ければ寒いほどたくさんの雪が降るわけではないのです。では、なぜ冬の日本海側にはたくさんの雪が降るのでしょうか。その理由は、日本海という海の存在です。

この第2章では、第1章でふれた三つの循環、つまり「熱」「水」「炭素」の循環のうち、水の循環について説明していきます。雪は水がこおったものなので、これからお話しする水の循環の一部です。地球にとって大切なこの水の循環を支えているのも、やはり海なのです。

日本海から湯気が立ち上る

　冬の日本海では、不思議な風景を見ることができます。海から「湯気」があがっているのです。やかんでお湯をわかすと、やかんの口から白い湯気がさかんにふきだします。あれとおなじ湯気が海面からたちのぼり、あたり一帯に、霧がたちこめたようになるのです。「蒸気霧」とよばれる現象です。

　湯気の正体は、とても小さな水の粒です。空気中の水蒸気が冷えて水の粒になったのです。では、その水蒸気はどこからきたのか……というお話をするまえに、「水蒸気」について説明しておきましょう。

富山県雨晴海岸の蒸気霧（左は霧のない時。下はもう少し近い場所から同一地点を撮った写真。蒸気霧で陸が見えない）

水は自在に姿を変える

　水は、その温度によって三通りに姿を変えます。そのうちの二つは、みなさんもよく目にしているはずです。

　まず、「液体」の水です。水道の蛇口から出てくるのが、まさにこの液体の水です。

　もうひとつは「固体」の水です。液体の水を冷やしていくと、温度が０度になると固まって氷になります。この氷が、固体の状態の水です。

　氷も液体の水も、水であることに変わりはないのですが、その状態がちがいます。液体の水は、どんな形のコップに入れても、自由に動きまわって、そのコップを満たします。氷は固まってしまっているので、液体の水のように自由に形を変えることはできません。０度という温度を境に、水は液体、固体と状態を変えます。

　三つめは「気体」の水です。気体は英語で「ガス」といいます。みなさんのまわりにある空気は、窒素や酸素、二酸化炭素などいろいろな種類の気体の集まりです。そのなかには「水蒸気」もふくまれています。

　この気体の状態になっている水が「水蒸気」です。水は 100 度より高い温度になると、液体の水ではいられなくなります。水が液体の状態でいられるのは、０度から 100 度までの間です。

● 水は自在に姿を変える

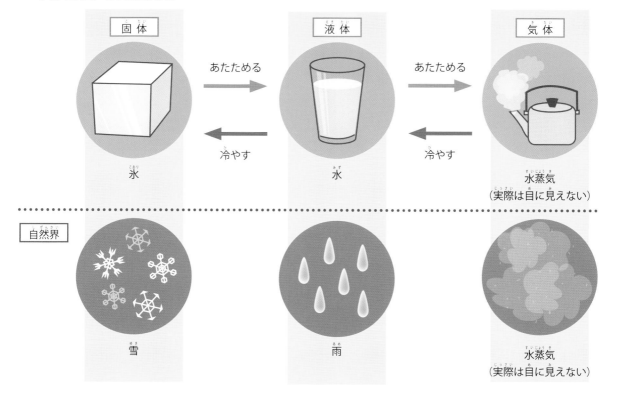

固体　あたためる　液体　あたためる　気体

氷　冷やす　水　冷やす　水蒸気（実際は目に見えない）

自然界

雪　雨　水蒸気（実際は目に見えない）

21

水は 100 度でなくても 蒸発して気体になる

　液体が気体に姿を変えることを「蒸発」といいます。コップに水を入れて放っておくと、いつのまにか水がなくなっていますね。これは、水がその表面から蒸発して気体になったからです。このように、蒸発は水が 100 度にならなくてもおこります。

　水蒸気は目に見えません。さきほどお話ししたように、わたしたちが暮らしている部屋の中の空気にも、水蒸気はふくまれています。たしかにこれは目に見えませんね。

　空気は、温度が高ければ高いほど、その中にたくさんの水蒸気をふくむことができます。逆に、温度が低い空気は、たくさんの水蒸気をふくむことができません。ですから、たくさん水蒸気をふくんだ空気の温度を下げていくと、ふくむことができなく

なった余分の水蒸気が、目に見える液体の水にもどります。

日本海の湯気は 「水の循環」の証拠

　日本海から出ている湯気は、水蒸気をふくんだ空気が冷やされて、ふくみきれなくなった水蒸気が小さな液体の水の粒になったものです。

　冬の日本海の上空には、ロシアや中国がある大陸から、冷たい冬の季節風がふいてきます。あるきまった方向からふいてくる、その季節に特有の風が「季節風」です。この季節風のため、冬の日本海の上空は、気温が低くなっています。

　日本海の海面の水温は 10 度前後で、気温の低さにくらべると、かなり高めです。すると、カップに入れた温かい紅茶を寒い

●水と水蒸気と湯気

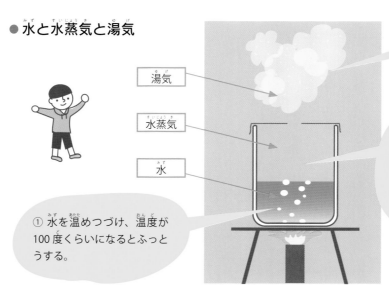

湯気

水蒸気

水

③ 湯気は水蒸気が冷やされて小さな水のつぶになったものだ。

② 水の中から出てくるあわは水蒸気。水の表面からも水蒸気は出ている。水蒸気は水が温められて、目に見えない姿に変わったものだ。

① 水を温めつづけ、温度が 100 度くらいになるとふっとうする。

冬に外で飲むときのように、表面から湯気がたちのぼるのです。

科学的にもうすこしくわしく説明しましょう。

海水は液体の水です。その表面から、水が蒸発します。つまり、海水という液体の水が気体になって、海の上の空気にまじったのです。この時点では、空気にふくまれている水蒸気は目に見えません。

海面は温かいので、たくさんの水蒸気が空気に入っていきます。ですが、海の上の冷たい空気に冷やされて温度が下がると、

雨や雪ができるしくみ

大気が冷えると、そのなかにふくむことのできる水蒸気の量が減る。すると、ふくみきれなくなった水蒸気が、液体の水や氷にもどる。こうしてできた小さな水や氷の粒の集まりが雲だ。大気の温度は高度数千メートルもいけば０度より低くなるので、日本のあたりでは、雲はたいていが氷の粒でできている。

雲の粒ができるとき、水蒸気は、空気中の小さな「ちり」のまわりにくっついて氷や水になる。氷の粒が大きくなって落ちてきたものが雪やあられだ。日本で降る雨は、ふつう上空では雪の状態だが、とくに寒い季節でなければ落ちてくるうちにとけてしまい、雨になる。

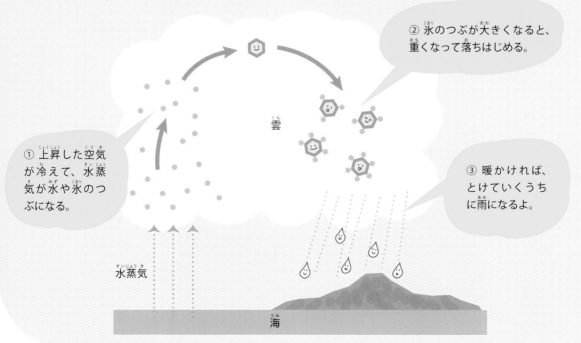

① 上昇した空気が冷えて、水蒸気が水や氷のつぶになる。

② 氷のつぶが大きくなると、重くなって落ちはじめる。

③ 暖かければ、とけていくうちに雨になるよ。

雲

水蒸気

海

空気は、そんなにたくさんの水蒸気をふくむことができなくなります。そのため、余分の水蒸気が、液体の小さな水の粒になって空中をただようのです。これが湯気の正体です。

いまお話ししたように、海の水は水蒸気に姿を変えて、その上にある空気に入りこみます。地球の表面はすべて空気におおわれていて、地球をおおうその空気全体のことを「大気」といいます。日本海からたちのぼる蒸気霧は、海から大気へと水がめぐっていることを示す、目に見える証拠なのです。

しめった冷たい空気が雪を連れてくる

冬の日本海上空にある冷たい大気は、このようにして、水蒸気をいっぱいいっぱいにふくんでいます。すこしでも気温が下がれば、すぐに水蒸気が余分になって、ふくみきれなくなってしまいます。そういう状態の大気が、北西の大陸のほうからふいてくる季節風に流されて、日本列島の日本海側にふきつけます。雨や雪のもとになる水蒸気をぎりぎりまでふくんだしめった冷たい風が、こうしてやってくるのです。

● 日本海側に大雪が降るわけ

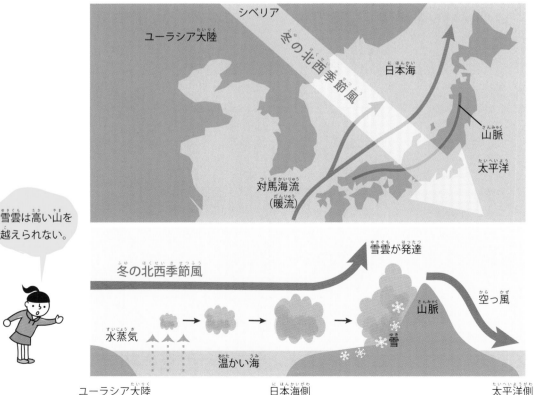

雪雲は高い山を越えられない。

日本の地形は、海岸のすぐ近くまで山がせまっていることが特徴です。低い土地がどこまでも広がっている関東平野のような場所は、むしろ例外です。日本海側の地形も、やはり海岸のすぐ後ろに山がせまっています。

日本海からやってきた季節風は、この山をかけあがります。空気は、高いところに動いていくと冷たくなる性質があるので、ここでふくみきれなくなった水蒸気が雪となって落ちてきます。だから、冬の日本海側では大雪が降りやすいのです。

こうして降る大雪のもとは海水だったのですが、雪は塩からいわけではありません。海水が蒸発するとき、塩分は海に残して真水だけが蒸発するからです。

そして水は海にもどる

積もった雪は、春になって暖かくなるととけだします。とけた水は、川に集まります。そして川の水は海にそそぎこみます。

海から蒸発した水が、やがて雪や雨となって空から地上に降ってきて、それが川となり、水はまた海にもどってきます。水は海から出て海にもどってくるわけです。水はこうして地球をひとめぐりします。これが水の循環です。

ここでは冬の日本海のお話をしましたが、水の循環は地球全体でおこっています。

太陽に照らされて温まった海面から海水が蒸発します。蒸発により海から大気にもたらされた水蒸気は、大気の流れにのって

● **インドで雨が降るしくみ**

インドでは夏の季節風がインド洋（アラビア海）をわたってくる。高温多湿でたくさんの水蒸気を含んでいるのでインドにたくさんの雨をもたらす。

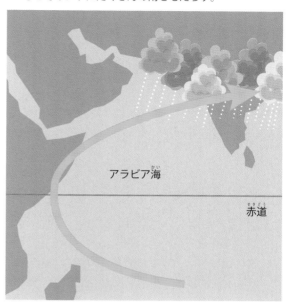

アラビア海

赤道

世界中に広がります。もちろん陸地でも、土の水分などが蒸発して、大気中の水蒸気に加わります。

そして水蒸気は雲になり、雲から雨や雪が落ちてきます。雨が海に降れば、水はそのまま海にもどることになります。陸に降れば、それが地面にしみこんで、やがて川に流れだして海にそそぎます。

海からやってくる大気は水蒸気を多くふくんでいます。それが陸地の山にぶつかると、空気は上昇して冷えるので、そこで雨をたくさん降らせます。たとえば、夏にインド洋からインドの方向へふく南からの季節風は、インド周辺に長い期間にわたって多量の雨を降らせ、洪水の被害が毎年のように発生します。

わたしたちは水の循環に支えられている

大気中に運びこまれる水蒸気の8割は、海からやってきます。大気から降ってくる雨や雪のうち4分の3は海に落ちてきます。そもそも地球上の水のうち97%は海にあることを、第1章でお話ししました。これからみてもわかるように、水の循環にはたす海の役割は、とても大きなものです。

もし、地球に海がなければ、水の循環はどうなるのでしょうか。

海から大気に多量の水蒸気が運びこまれなければ、大気には雨や雪のもとがほとんどないことになり、したがって雨も雪もほとんど降りません。陸は乾いたままになります。きっと、川もなくなるでしょう。川に住む魚などの生き物たちもいなくなります。

日本には、水の循環のおかげで、たくさんの雨が降ります。ときには、雨が降りすぎて、土砂くずれのような災害がおきることもあります。ですが、この雨を利用して、水をはった水田でおいしい米がつくられています。日本の各地できれいな「わき水」を利用できるのも、もとはといえば、雨が降って、それが地面にしみこんだからです。

もちろん、世界の中には、こうした雨の恵み、水の循環の恵みをあまり受けられない乾燥した地域もあるのですが、それでも地球に生きるわたしたちは、全体として、水の循環というすばらしい地球の自然を生かして暮らしているといえます。水の循環は、いまのわたしたちの暮らしを、そして生き物たちの暮らしを支えています。

その水の循環の中心にあるのが「海」なのです。

水の循環は熱も運ぶ

第1章では、海流が熱を運ぶお話をしました。赤道付近の温かい海水が北極や南極の寒い方向に動き、その動きとともに熱が運ばれるというお話でした。

これとは別の熱の運ばれかたもあります。海水が蒸発すると、そのとき、同時に熱も大気に運びこまれています。「水の循環」といったとき、それはたんに水が動きまわるだけでなく、熱も移動します。その熱が、あの台風の強大なエネルギーのもとになっているというお話をしておきましょう。台風は海がつくりだしているのです。

いまここに100度のお湯があるとします。これをガスコンロでわかしつづけると、お湯の温度は100度のまま、どんどんお湯の量が減っていきます。

100度のお湯に熱のエネルギーを加えると、100度の水蒸気になります。減ったぶんのお湯は、水蒸気に姿を変えたのです。ガスコンロで加えた熱のエネルギーは、水が液体から気体になるために使われました。ということは、100度のお湯と100度の水蒸気は、温度はおなじですが、水蒸気のほうがたくさんのエネルギーを

● 水の循環に支えられているわたしたちのくらし

日本の稲作に雨は欠かせない。

岐阜県郡上市八幡町の湧き水
町中に湧き水をひき、生活用水としても使ってきた。

もっているわけです。

そして、この水蒸気が水にまたもどるときは、それまで持っていたエネルギーを熱としてまわりに放出します。水蒸気が水にもどるだけで、まわりの空気は暖まるのです。

台風は海のエネルギーで発達する

ここでは100度のお湯を例に説明しましたが、さきほどお話ししたように、水の表面からは、100度でなくても水は蒸発していきます。こうして蒸発した水蒸気も、蒸発するときにたくさんのエネルギーをか

かえて、空気の中に入っていきます。

海面の水温が高いと、そこからさかんに水が蒸発します。こうしてできた水蒸気が空気とともに上昇して冷え、それが水や氷にもどると、そのとき、かかえていたエネルギーを熱として放出して、まわりの空気を暖めます。暖かい空気は軽いのでますます上昇して冷え、ふくまれている水蒸気は水や氷にもどってさらに熱を放出します。すると、空気は暖まって、さらに上昇を続け……。こうして上昇する気流がどんどん強まります。これが赤道近くの海上で生まれた「熱帯低気圧」の中でおこると、勢いが強まって台風になります。

つまり、海から大気への水の循環が、水

● **台風の発生するしくみ**

① 熱帯の強い日差しで海水が温められると、たくさんの水蒸気が生まれ、暖められた空気はその水蒸気とともに上昇する。➡上昇気流ができる。

② 上昇気流によって雲が作られ、雲は背高く成長して積乱雲に発達。雲のできる過程で水蒸気が水のつぶになる。
そのとき多くの熱を出していくため、まわりの空気を暖め、さらに上昇気流が強まる。

③ 積乱雲が集まって回転を始め、熱帯低気圧になる。
さらに発達すると台風となる。

といっしょに海面の熱を大気に運び、その
エネルギーで台風は発達するのです。

地球温暖化と台風

　いまお話ししたように、台風が発達する
エネルギー源は、海面からもらう水蒸気で
す。だから、台風は陸地では生まれません。
また、海面の水温が高くないと、じゅうぶ
んな水蒸気をもらえないので、熱帯低気圧
は台風にまで発達できません。熱帯低気圧
が強まって台風になれるのは、海面水温が
およそ 26 度より高い海の上です。台風が

赤道に近い熱帯などの海で発達するのは、
そのためです。

　地球温暖化が進むと、海面の水温も高く
なり、強い台風の割合が増えると考えられ
ています。また、日本列島に近い海の水温
がこのさきも上がりつづければ、台風は、
おとろえずに強いまま日本に近づいてくる
ことも予想されます。

　台風は、たくさんの水蒸気を海からも
らって成長します。水蒸気は雨のもとです。
だから、台風は、強い風だけでなく、たく
さんの雨を降らせます。地球温暖化が進ん
だきさの台風災害が心配です。

台風とハリケーン

　天気を悪くする低気圧には、温帯低気圧
と熱帯低気圧の2種類がある。日本の上空
を、数日くらいで、おもに西から東に移動
していくのが温帯低気圧。赤道近くの温か

い海の上でできるのが熱帯低気圧だ。

　熱帯低気圧が強くなり、東経100度か
ら180度までの北太平洋で風速が秒速17
メートル以上になったものが「台風」だ。
北アメリカの太平洋沖や大
西洋沖で強まると「ハリケー
ン」とよばれる。つまり、
台風とハリケーンはおなじ
熱帯低気圧で、発生する場
所がちがうだけだ。

東経100度　東経180度

赤道

台風　　ハリケーン　　ハリケーン

第3章

地球が身につけた「炭素」のリサイクル

わたしたちにとって重要な物質、それは「炭素」

みなさんは「炭素」という物質を知っていますか。言葉だけでも聞いたことがあるでしょうか。

いま、地球の気温が上がる「地球温暖化」が問題になっています。これは、石油や石炭などを燃やしたときにガスとしてでる二酸化炭素が大気中に増えてしまったことが原因です。この「二酸化炭素」という言葉の中に「炭素」は入っていますね。実際に、二酸化炭素は炭素を使ってできています。もし炭素がなければ、二酸化炭素と

● わたしたちの体の水以外、筋肉・脂肪・骨などの重さの半分は炭素がしめている

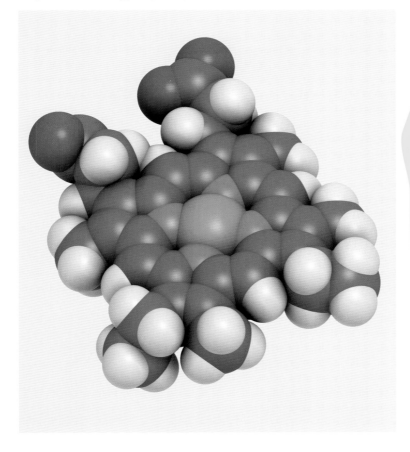

左の図は、わたしたちの体にとって重要な、血液の赤い色素の分子の形だよ。「分子」と「原子」は 32 ページで説明してあるから読んでみてね。いちばん多いのは灰色の「炭素」原子なんだ。ほかの色の原子は 31 ページに例をあげてあるよ。こんなふうに、わたしたちの体はたくさんの炭素でできているんだよ。

いう物質はできません。

わたしたちの体にも、たくさんの炭素があります。筋肉は、たんぱく質という物質でできています。このたんぱく質をつくっているのも炭素です。

わたしたちがいつも食べる米には、でんぷんがふくまれています。でんぷんをつくるにも、やはり炭素が必要です。

炭素は、食べ物にふくまれていて、そして、わたしたちの体もつくってくれます。もちろん、ほかの生き物たちの食べ物や体にも炭素はふくまれています。炭素は地球のあらゆるところに存在しています。炭素は、わたしたち生き物にとっても、そして

地球全体にとって、とても重要な物質なのです。

この第3章では、その炭素のお話をしていきます。大気中の二酸化炭素とわたしたちの体は、炭素をとおしてつながっています。炭素は、姿を変えながら、地球の大気、そして海の中、さらにわたしたちの体の中をめぐっています。これが、この第2巻でお話しする三つの「循環」の最後になる炭素の循環です。

そのまえに、二酸化炭素やたんぱく質といった物質と炭素の関係を説明しておきましょう。

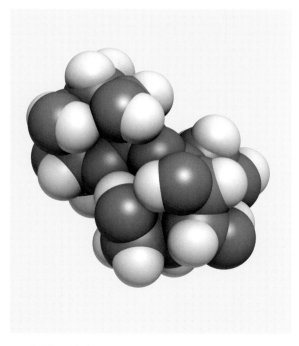

● 砂糖の分子
分子の中心は炭素（灰色）があり、それを水素（白）と酸素（赤）がかこむ。

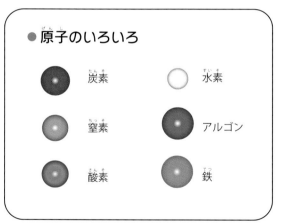

● 原子のいろいろ

炭素　　水素

窒素　　アルゴン

酸素　　鉄

原子は大きさや性質がそれぞれ異なるよ。つぎのページ（P.33）を見てね。

物質は「原子」でできている

わたしたちの身の回りにある物質は、すべて「原子」という小さな粒の組み合わせでできています。順を追って説明しましょう。

たとえば水を考えてみましょう。水道からでてくる液体の水が粒の集まりだなんて、想像できないかもしれませんが、水を細かく分けていくと、水の「分子」という粒にいきつきます。その大きさは1ミリメートルの100万分の1の、そのまた3

分の1くらいです。もちろん目で見ることはできないし、顕微鏡でも見えないほどの小さな粒です。

この水の分子は、さらに小さい「原子」という粒に分解することができます。水の分子は、水素の原子が2個と酸素の原子が1個、合計3個の原子が結びついてできています。水を分けていっていきついた分子は、水としての性質をもっているいちばん小さな粒です。これを水素や酸素の原子にまで分解すると、水の性質は失われてしまいます。

● わたしたちのよく知っている水の分子と原子

下の図の赤の酸素原子1個と少し小さい白の水素原子2個がしっかりとかみ合っている粒が水の分子だ。

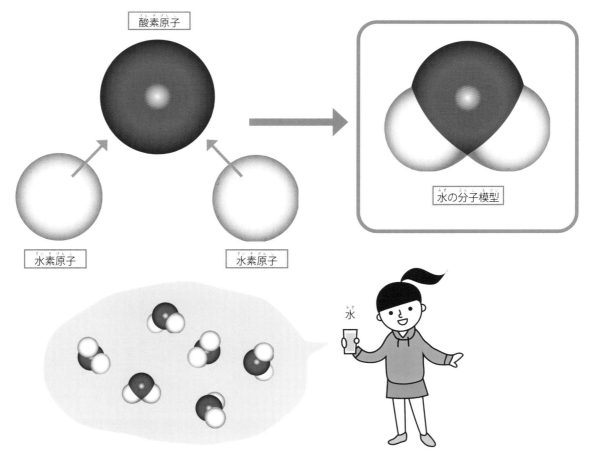

酸素原子

水素原子　　水素原子

水の分子模型

水

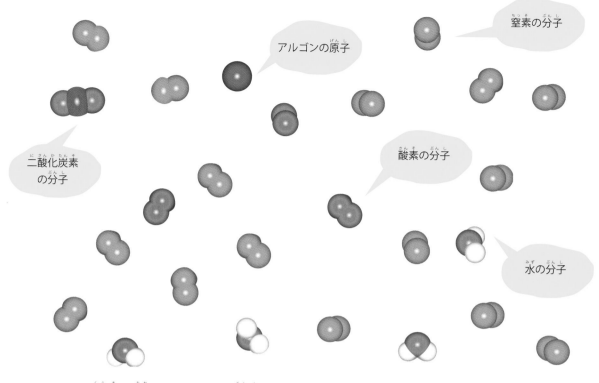

● 空気の中のいろいろな分子

もし、魔法の拡大鏡があって空気の中をのぞいたら、空気の中にはどんな分子があるのかな。
たくさんの窒素分子やそれより少ない酸素分子、それから水の分子や二酸化炭素も見えるよ。
アルゴンという原子がほかの分子100個くらいのなかにやっと1個あるよ。
水の分子があるのはどこからか水が蒸発したのかな。

約120種類の原子

　原子は、ようするに、わたしたちを取りまくあらゆる物質を組み立てる、目に見えない最小の部品です。

　さきほどお話しした水素と酸素のほかに、わたしたちが吸っている空気にたくさんふくまれている窒素ガスをつくる窒素原子、食塩をつくるナトリウム原子と塩素原子、鉄の原子など、約120種類の原子が確認されています。

　これらの原子の組み合わせで、身の回りのさまざまな物質ができているのです。

二酸化炭素と一酸化炭素のちがい

　この約120種類の原子のうちのひとつが「炭素」原子です。 この第3章の主役です。

　いまお話ししたように、組み合わせる原子の種類がちがえば、できあがる物質もちがいます。 炭素を例にして説明しましょう。

　いま地球温暖化が進んでいるのは、大気中に二酸化炭素が増えているからです。 この二酸化炭素は大気中に気体の状態でま

じっています。二酸化炭素の分子がばらばらに空中を飛びまわっているのです。これが気体という状態です。

二酸化炭素という言葉の中には「炭素」がありますね。これは、炭素の原子が二酸化炭素の分子をつくる部品になっていることを示しています。二酸化炭素には炭素原子がふくまれているということです。「酸化」というのは、なにかに酸素の原子がくっつくことです。二酸化炭素の分子には、その酸素原子がふたつふくまれています。まとめていうと、二酸化炭素の分子は、炭素の原子にふたつの酸素原子が結びついた合計3個の原子でできているのです。

二酸化炭素とおなじように炭素と酸素の原子だけでできた「一酸化炭素」という物質があります。一酸化炭素の分子は、炭素原子と酸素原子がひとつずつ結びついた合計2個の原子でできています。

二酸化炭素は、わたしたちがはく息にふくまれていることからもわかるように、人体にとって害はありません。ですが、一酸化炭素は有害です。一酸化炭素のガスを吸うと、呼吸ができなくなってしまいます。たとえば、閉めきった部屋でものを燃やすと、燃えるのに必要な酸素が足りなくなって、ふつうなら二酸化炭素が出るはずなのに、一酸化炭素が出ることがあります。冬に石油ストーブを使うとき、ときどき部屋の空気を入れ替える必要があるのは、そのためです。

● 二酸化炭素と一酸化炭素

二酸化炭素ははく息にふくまれているよ。

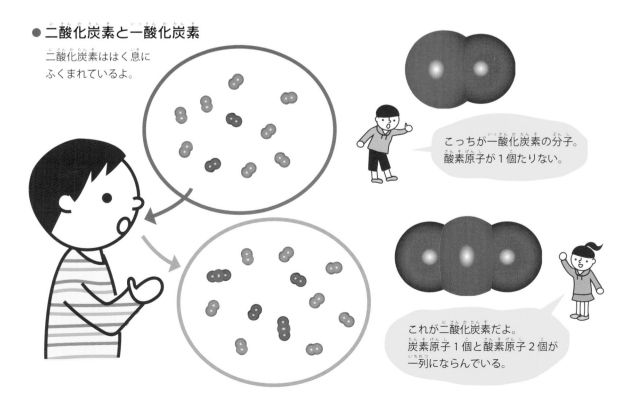

こっちが一酸化炭素の分子。酸素原子が1個たりない。

これが二酸化炭素だよ。炭素原子1個と酸素原子2個が一列にならんでいる。

●ダイヤモンドも鉛筆のしんの黒鉛も体もみんな炭素からできている

グリシンはたんぱく質をつくるアミノ酸のひとつ。アミノ酸のなかではもっとも単純な分子構造（分子の形）をもつ。

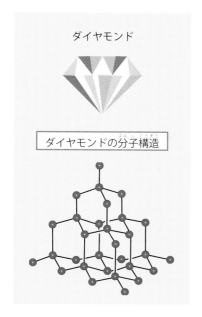

ダイヤモンド

ダイヤモンドの分子構造

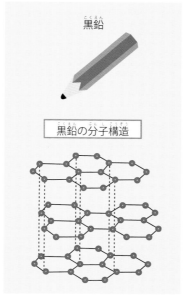

黒鉛

黒鉛の分子構造

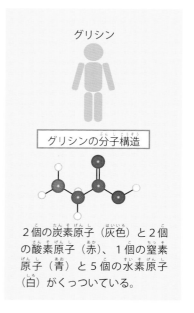

グリシン

グリシンの分子構造

2個の炭素原子（灰色）と2個の酸素原子（赤）、1個の窒素原子（青）と5個の水素原子（白）がくっついている。

みんなの体は空気中にあった「炭素」でできている？

みなさんが使う鉛筆のしんに使われている「黒鉛」も炭素でできています。そして宝石のダイヤモンドも炭素でできています。

あの黒い黒鉛と、キラキラとかがやく透明なダイヤモンドがおなじ炭素でできているというのは、とてもふしぎな感じがします。両方とも炭素原子だけでできているのですが、炭素原子どうしの結びつきかたがちがうのです。

そして、みなさんの体も炭素でできています。ダイヤモンドをつくっている炭素とおなじ原子が、生き物の体にもたくさんふくまれているのです。

体をつくる筋肉や内臓は、おもに「たんぱく質」という物質でできています。たんぱく質の分子は、おおざっぱにいうと、骨組みは炭素原子がつながってできていて、そこに、酸素や窒素などの原子が、かざりのようについてます。炭素原子のつながりかたや、かざりとして使われる原子のちがいによって、いろいろな種類のたんぱく質ができあがります。それが、わたしたちの体をつくっています。

あとでまたお話ししますが、みなさんの体をつくる炭素は、もともとは大気中の二酸化炭素をつくっていた炭素です。筋肉と大気中にふくまれる二酸化炭素は似ても似つきませんが、その中にふくまれている炭素は、こうして地球のいたるところに移動しているのです。

食べ物も炭素でできている

わたしたちの体だけではありません。食べ物の中にも炭素はふくまれています。

たとえば、ご飯やパンなどにふくまれている「でんぷん」という物質です。わたしたちが活動するためのエネルギー源になる大切な栄養です。

でんぷんは、さとうの仲間である「ブドウ糖」の分子がつながったものです。そのブドウ糖は、6個の炭素原子が骨組みとなり、そこに6個の酸素原子と12個の水素原子がくっついた形になっています。

ここでもまた「炭素」がでてきました。

でんぷんだけではありません。肉や魚を食べると、わたしたちはそのたんぱく質とともに炭素を体に取りこんでいることになります。

● ブドウ糖の分子構造（分子の形）

分子は中心に6個の炭素原子（灰色）。そのまわりに6個の酸素原子（赤）と12個の水素原子（白）がくっついている。

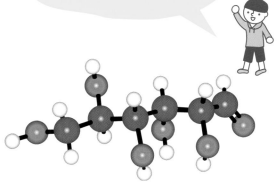

すべての炭素はたがいに関係している

このように、地球や地球にすむ生き物の話をすると、あちらにもこちらにも「炭素」がでてきます。その意味で、炭素は、約120種類ある原子のうちでも、とりわけ重要なものです。地球上の炭素が、どのように姿を変えて動きまわっているのかを知ると、地球を物質がめぐるしくみがよくわかります。

さきに結論をお話ししておきます。いまお話ししてきた炭素は、すべてがおたがいに関係しています。炭素は、あるときは大気中の二酸化炭素として、あるときは生き物の体として、またあるときは海の中の物質として存在しています。おたがいが移り変わるのです。炭素は、その姿を変えながら、地球のあちこちを旅しているといってよいのかもしれません。これが、この第3章でお話ししたかった「炭素の循環」です。

出発点は植物の光合成

大気中にある二酸化炭素を、生き物たちが使える栄養分に変えるのは植物です。

植物は、水と大気中の二酸化炭素からブドウ糖をつくりだします。二酸化炭素にふくまれていた炭素を、ブドウ糖をつくる炭素として利用するのです。そのとき太陽の光のエネルギーを使います。これが「光合成」とよばれるはたらきです。

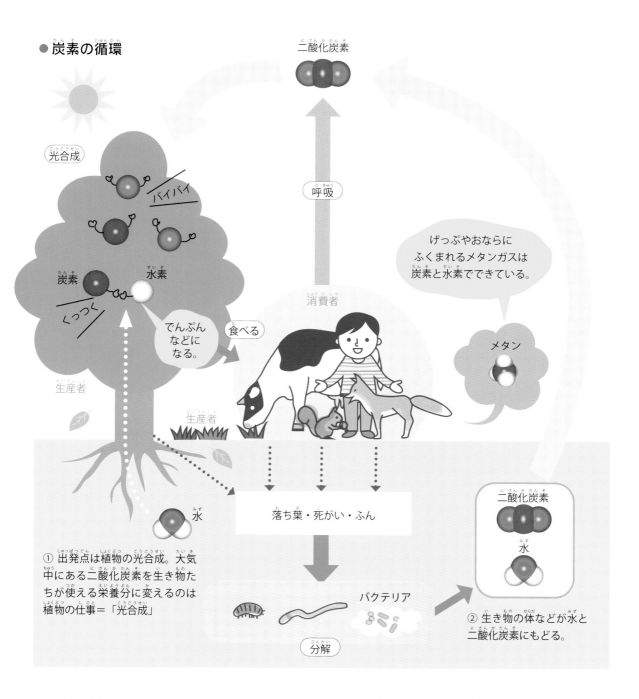

● 炭素の循環

二酸化炭素

光合成

バイバイ

炭素　水素

くっつく

生産者

でんぷんなどになる。

食べる

消費者

げっぷやおならにふくまれるメタンガスは炭素と水素でできている。

メタン

生産者

水

① 出発点は植物の光合成。大気中にある二酸化炭素を生き物たちが使える栄養分に変えるのは植物の仕事＝「光合成」

落ち葉・死がい・ふん

二酸化炭素

水

バクテリア

② 生き物の体などが水と二酸化炭素にもどる。

分解

二酸化炭素はわたしたちの栄養にはなりませんが、ブドウ糖は、さきほどお話ししたように、パンの原料になる小麦、米、とうもろこしなどにふくまれる「でんぷん」のもとです。栄養のなかった炭素が、栄養をまとった炭素に変化したのです。

植物は、自分が光合成でつくりだしたでんぷんを実などにたくわえます。わたしたちはこれを食べて、栄養にします。こうして、大気中の二酸化炭素にふくまれていた炭素が、わたしたちの体をつくるもとになります。

栄養分が水と二酸化炭素にもどる

　食べ物としてわたしたちの体に入ったでんぷんは、消化されて、最後は水と二酸化炭素にもどります。わたしたちがはく息には二酸化炭素がふくまれています。栄養分を消化したときにでてきた不要な二酸化炭素を、息として捨てているのです。こうして二酸化炭素は、また大気にもどります。炭素は、また姿を変えましたね。

　ここで、ちょっと考えてみましょう。わたしたちが動いたり、体温をたもったりするには、エネルギーが必要です。このエネルギーは食べ物から得ています。いまのお話でいうと、ご飯やパンのでんぷんを消化しながら、でんぷんが持っていたエネルギーを取りだし、それを使っているのです。

　では、そのでんぷんのエネルギーは、もともとどこから来たのかというと……。そうです。光合成で使った太陽の光です。わたしたちが食べ物から得ているエネルギーは、もとはといえば、太陽の光のエネルギーなのです。

海はたくさんの炭素をたくわえている

　大気にふくまれている炭素は、そのほとんどが二酸化炭素です。それに対して、海の炭素は、いろいろな種類の物質として存在しています。海にとけている炭素の量は大気よりはるかに多く、大気の 50 ～ 60 倍にもなるといわれています。炭素の循環にとって、海はとても大切です。

　海の中でも、炭素の旅の出発点は、やはり植物の光合成です。海面に近くて太陽の光が届く浅いところには、植物プランクトンがいます。その多くは 1 ミリメートルの10 分の 1 くらい以下の、とても小さな植物です。海の流れに身をまかせてただよっています。

　海水には、海面をとおして大気から二酸化炭素がとけこんできます。海の植物プランクトンは、陸上の植物とおなじように、太陽光のエネルギーを使ってこの二酸化炭素から栄養分をつくりだして、自分の体にたくわえます。1 年間にたくわえる量は、陸上の植物全体とほぼおなじだと考えられています。植物プランクトンは、ブドウ糖のほか、たんぱく質もたくさんつくりだしています。

　この植物プランクトンを食べるのが動物プランクトンです。その動物プランクトンは小魚のえさになります。小魚は、もっと大きな魚のえさになります。こうして、もともと植物プランクトンがつくりだした栄養分が、海の生き物全体に広がっていきます。こうした食べる、食べられるの関係を「食物連鎖」といいます。

● 大気と海の炭素循環

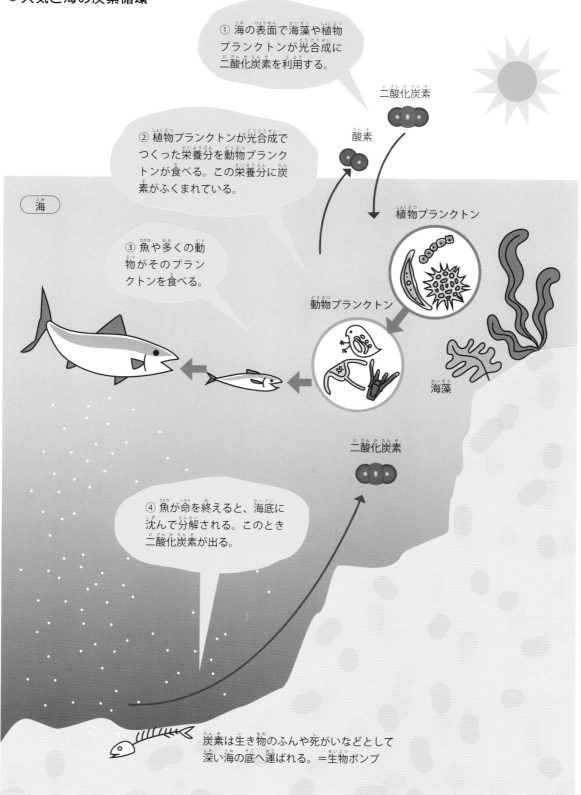

① 海の表面で海藻や植物プランクトンが光合成に二酸化炭素を利用する。

② 植物プランクトンが光合成でつくった栄養分を動物プランクトンが食べる。この栄養分に炭素がふくまれている。

③ 魚や多くの動物がそのプランクトンを食べる。

④ 魚が命を終えると、海底に沈んで分解される。このとき二酸化炭素が出る。

海

二酸化炭素

酸素

植物プランクトン

動物プランクトン

海藻

二酸化炭素

炭素は生き物のふんや死がいなどとして深い海の底へ運ばれる。＝生物ポンプ

海が炭素をたくわえるしくみ

さきほど、大気よりはるかにたくさんの炭素が海にたくわえられているとお話ししました。海には、炭素をどんどんたくわえる独特のしくみがあるのです。

海の生き物のふんや死んでしまった体は、深いところにしずんでいきます。しずみながら小さな生物に分解されて、また二酸化炭素などにもどります。すこしむずかしい話なのでくわしくは説明しませんが、水深1000メートルくらいより深いところ

には、二酸化炭素のほか「炭酸」「重炭酸イオン」「炭酸イオン」など、二酸化炭素の仲間がたくさんとけこんでいます。

生き物が多いのは海の浅いところですから、その死んだ体などがしずむことにより、炭素が海の浅いところから深いところへ運ばれていきます。生き物のはたらきにより、まるでポンプで炭素を深海に送りこんでいるようなので、このしくみは「生物ポンプ」とよばれています。浅いところで足りなくなった二酸化炭素は、海面をとおして大気から吸収します。

● 深海から海水がわきあがる場所

太平洋の赤道付近では、貿易風という東風（P.12）が常に吹いているため、東側の南米沖では深いところから冷たい海水が海面近くまでわきあがる。ただし、海水がわきあがる場所はこのほかにもある。

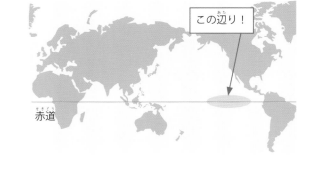

この辺り！

赤道

風が影響しているんだね。

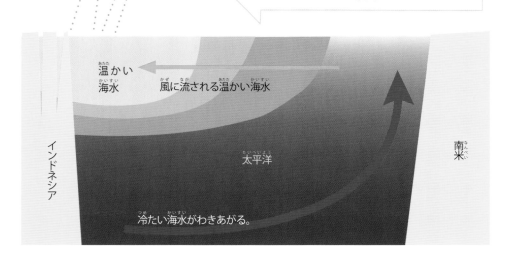

東風

温かい海水

風に流される温かい海水

インドネシア

太平洋

南米

冷たい海水がわきあがる。

こうして海は、炭素を大気から吸収し、その深い部分に多量にたくわえるのです。

海から大気に炭素が放出される

このように考えると、海には一方的に炭素がたまっていってしまいそうですが、海から大気に二酸化炭素が放出されることもあります。

海には、いつも深いところから水がわきあがってきている場所があります。たとえば東太平洋の赤道沿いの海です。南アメリカのペルーの沖合のあたりです。ここではいつも冷たい水がわきあがってきているので、海面の水温もまわりより低めです。こ

のわきあがりがふだんより弱まると、いつもにくらべて海面水温が高めになります。これが「エルニーニョ」とよばれる現象です。

深いところからわきあがってくる海水には炭素の仲間が多くふくまれているので、海面の近くでは、二酸化炭素が多すぎる状態になっています。すると、海水にとけていた二酸化炭素は、大気中に出ていきます。こうして二酸化炭素は、大気から海に取りこまれたり、海から大気に放出されたりします。

ここが地球の炭素循環の重要な部分です。地球温暖化の原因となる大気中の二酸化炭素が増えると、それだけ海にたくさん二酸化炭素がとけこみます。それならば、

● 炭素循環によって、大気中の二酸化炭素濃度が一定に保たれている

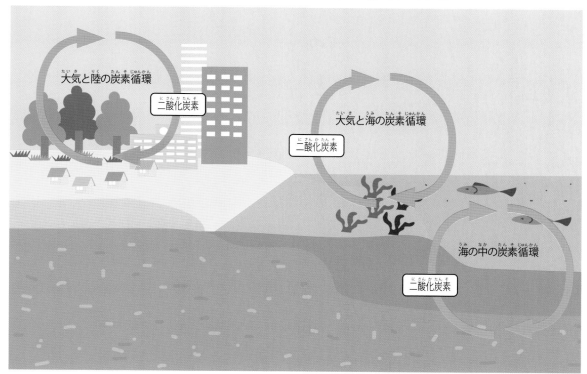

大気と陸の炭素循環
二酸化炭素

大気と海の炭素循環
二酸化炭素

海の中の炭素循環
二酸化炭素

どんどん大気中に二酸化炭素が増えても、海が吸収してくれるからだいじょうぶかというと、そうではありません。二酸化炭素は温かい水にはとけにくいので、地球温暖化で海面の水温が上がると、とけている二酸化炭素はどんどん大気にでてきてしまいます。つまり、地球温暖化がはげしくなってしまうのです。

大気中の二酸化炭素の量と海にとけている量は、このような微妙なバランスのうえになりたっています。このバランスがくずれると、地球の環境はおおきく変わってしまうかもしれません。だからこそ、わたしたちは地球温暖化の進行をできるだけおさえ、海を守っていく必要があるのです。

地球をめぐる炭素

これまでのお話をまとめておきましょう。

大気中にある二酸化炭素は、陸や海の植物によって栄養分に変わります。それが生き物たちの食料となり、その生活を支えています。生き物が栄養分を消化したり、死んでその体が分解されたりすると二酸化炭素がでて、二酸化炭素はまた大気にもどったり、海の生き物だと海水にとけたりします。炭素は大気と海のあいだを、そして大気や海と生き物のあいだを行き来します。

こうして「炭素」は地球をめぐります。そのとき、たくさんの炭素をたくわえている海は、地球全体の炭素のバランスを整えるうえで、とても重要なはたらきをしているのです。

よく考えてみると、この「炭素の循環」は、炭素のリサイクルになっているのですね。炭素は姿を変えながら地球をめぐり、おなじ炭素が何度もくりかえし使われて地球全体を支えています。地球は、誕生してから46億年の歴史のなかで、この究極のリサイクルをあみだしたのです。わたしたちが生きていくエネルギーのもとは太陽の光。太陽の光のエネルギーにすべてを支えてもらう、とても上手なリサイクルです。

わたしたちはリサイクルを
こわしている

わたしたちは、本来ならこの炭素のリサイクルにきちんと入っているはずのものを、むりやり取りだして使っています。石炭や石油です。地球の自然にさからって、リサイクルの輪から外してしまっているのです。

石炭は、もともと陸上の木が地下にうまってできたものです。死んだ小さな生き物の体が地下で性質を変えたものが石油です。いずれも何千万年、何億年という長い時間をかけてできたものです。

もし、わたしたちがこのような長い年月をかけてすこしずつ石炭や石油を使っていくのなら、そのあいだに石炭や石油もつくられていくので、問題はないはずです。しかし、わたしたちは、ここ200年あまり

のほんの短い時間で大量の石炭や石油を燃やし、地下にうまっていたこれらの炭素を二酸化炭素として大気に放出してしまっています。石炭や石油がつくられる長い時間を待てずに、使う一方になっているのです。石炭や石油をつくるスピードが、使うスピードにまったく追いついていません。これでは炭素のリサイクルは不可能です。地球の自然な炭素のリサイクルを無視してしまっているのです。

岩石にも炭素はふくまれている

じつは、岩石のなかにも炭素はふくまれています。ビルのかべなどによく使う「大理石」という石があります。これは岩石の種類としては「石灰岩」の仲間です。石灰岩は、体にかたい「から」をもつ海の生き物が死んでしずみ、海底に積もってできた岩石です。「から」のおもな成分は「炭酸カルシウム」で、ここに炭素がふくまれて

● 炭素のリサイクル

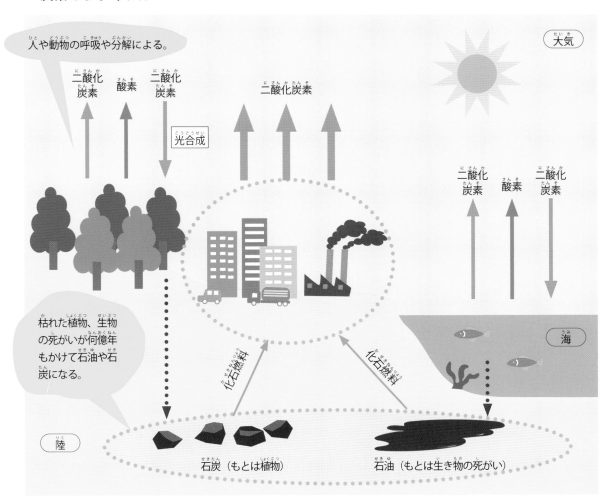

人や動物の呼吸や分解による。

二酸化炭素　酸素　二酸化炭素　　　二酸化炭素

光合成

二酸化炭素　酸素　二酸化炭素

大気

枯れた植物、生物の死がいが何億年もかけて石油や石炭になる。

化石燃料　　　化石燃料

海

陸

石炭（もとは植物）　　　石油（もとは生き物の死がい）

います。

　地球は岩石のかたまりですから、地球全体でみると、岩石にふくまれている炭素は、大気や海にくらべるとはるかに多い量です。大気や海にふくまれている量の何万倍、何十万倍にもなると考えられています。ですが、これらが大気や海に自然に移っていく量はわずかなので、ここでは、あまり考える必要はないでしょう。

地球のリサイクルにとっては海が大切

　この第3章では「炭素の循環」、つまり地球上の炭素のリサイクルについてお話ししてきました。わたしたち人間の体をふくむ、大きな大きなリサイクルです。

　海は大気から二酸化炭素として炭素を吸収し、たくさんためこみます。ときには、それを大気に放出もします。そのバランスが、地球温暖化で海が温まると、くずれてしまうかもしれません。海は大気よりたくさんの炭素をたくわているので、すこしでも状態が変わると、炭素のリサイクルにおおきな影響をおよぼす可能性があります。

　海はこのリサイクルにとってとても大切ですし、わたしたちが海を大切にしなければならない理由も、そこにあります。

プランクトン

　水中で生活する生き物のうち、自分ではほとんど泳がず、流れに身をまかせてだたよっているものを全部まとめて「プランクトン」という。一般には、小さな生き物をさすことが多い。ミジンコやミドリムシ、クジラのえさになるオキアミなど。10分の1ミリメートルにもならない小さなものから、クラゲのように大きなものまで、さまざまな大きさのものがいる。栄養のとり方で植物プランクトン、動物プランクトンに分けられる。

　植物プランクトンは、小さくても、陸上の植物とおなじように光合成をする。地球上の酸素は植物の光合成でできるが、その半分は植物プランクトンがつくっていると考えられている。もし海に植物プランクトンがいなければ、地球は酸素不足になってしまう。

　いまから27億年くらいまえに、地球上ではじめて光合成をして酸素をつくりだしたのが、「シアノバクテリア」という種類の植物プランクトンだ。わたしたち人間のなかまである「ほ乳類」が地球上に現れてから、まだ2億年あまりしかたっていないので、プランクトンは、そのはるかむかし

から地球上にいたことになる。

水中をただよう生き物を「プランクトン」というのに対し、魚やカメ、クジラのように自分で泳ぎまわる生き物をまとめて「ネクトン」という。また、カニやイソギンチャクのように水の底にいる生き物を「ベントス」という。ネクトンやベントスにも、プランクトンとおなじようにさまざまな大きさの生き物がふくまれている。

植物プランクトン

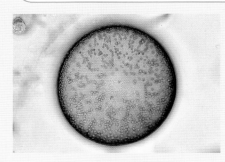

コアミケイソウ

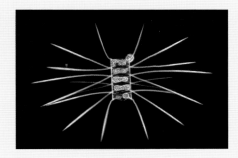

ツノケイソウ

ガラパゴス諸島の近くの海で採られた動物プランクトン

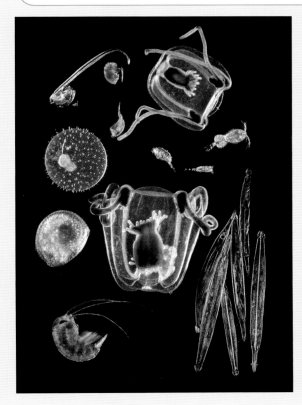

海洋探査船タラ号によるプランクトンの調査で海にただようプランクトンが約15万種いることがわかった。

図版出典（敬称略）

第1章　海は地球の熱を運ぶ

P.6　●山あいに降る雨
　　　写真：ⓒ齋藤正敏

P.7　●水や地下水は川に集まり、海にもどる。（高知市仁淀川）
　　　写真：ⓒ谷本一郎

P.16　●海の中が青い理由　海の中で色によって光が届く深さのちがい
　　　「きれいな海水中で光強度が表面の1%になる深度」（千賀康弘『海の光環境と植物プランクトン』）を元に作成。

第2章　雨や雪のもとは海からやってくる

P.18　●豪雪地帯の新潟県十日町市小白倉に降り積もる雪
　　　写真提供：imaya / PIXTA(ピクスタ)

P.19　●日本の豪雪地帯
　　　気象庁歴代全国ランキング（https://www.data.jma.go.jp/obd/stats/etrn/view/rankall.php）を元に作成。

P.20　●富山県雨晴海岸　昼間の写真と蒸気霧が発生した時の写真
　　　写真提供：（公社）とやま観光推進機構

P.27　●雨の水田風景　里に降る雨
　　　写真：ⓒ iimura shigeki/Nature Production /amanaimages

　　　●郡上市八幡町「やなか水のこみち」
　　　写真提供：gandhi / PIXTA(ピクスタ)

第3章　地球が身につけた「炭素」のリサイクル

P.30　●わたしたちの体の水以外、筋肉・脂肪・骨などの重さの半分は炭素がしめている
　　　画像：123RF

P.31　●砂糖の分子
　　　画像：123RF

P.32　●わたしたちの よく知っている水の分子と原子
　　　『もしも原子がみえたなら　いたずらはかせのかがくの本』（板倉聖宣著、仮説社 2008 年刊）を参考に作成。

P.33　●空気中のいろいろな分子
　　　同上

P.34　●二酸化炭素と一酸化炭素
　　　同上

P.45　●植物プランクトン　コアミケイソウ
　　　画像提供：「生きもの好きの語る自然誌」

　　　●植物プランクトン　ツノケイソウ
　　　写真：ⓒ井上雅史

　　　●ガラパゴス諸島の近くの海で採られた動物プランクトン
　　　写真：ⓒクリスティアン・サルデとマクロノーツ／プランクトン・クロニクルズ

● 著者略歴

保坂 直紀（ほさか・なおき）

サイエンスライター。東京大学理学部地球物理学科卒。同大大学院博士課程（海洋物理学）を中退し、1985 年に読売新聞社入社。地球科学や物理学などの取材を担当。科学報道の研究により、2010 年に東京工業大学で博士（学術）を取得。2013 年に早期退職し、東京大学海洋アライアンス上席主幹研究員などを経て、2019 年から同大大学院新領域創成科学研究科特任教授。気象予報士。著書に『謎解き・海洋と大気の物理』『謎解き・津波と波浪の物理』『びっくり！ 地球 46 億年史』（講談社）、『これは異常気象なのか？』『やさしく解説 地球温暖化』（岩崎書店）、『クジラのおなかからプラスチック』（旬報社）など。

海は地球のたからもの 2

海はどうして大事なの？

2020 年 2 月 14 日　初版 1 刷発行

著　者　保坂直紀

発行者　鈴木一行

発行所　株式会社 ゆまに書房

　　　　東京都千代田区内神田 2-7-6
　　　　郵便番号　101-0047
　　　　電話　03-5296-0491（代表）

印刷・製本　株式会社 シナノ パブリッシング プレス

本文デザイン　高嶋良枝

Ⓒ Naoki Hosaka　2020　Printed in Japan

ISBN 978-4-8433-5568-8 C0344